D1095214

Günter Kunert
Unterwegs nach Utopia
Gedichte
Hanser

Alle Rechte vorbehalten
© 1977 Carl Hanser Verlag München Wien
Umschlag: Klaus Detjen
ISBN 3-446-12468-3
Satz und Druck: Kösel, Kempten
Printed in Germany

Marianne
der Teilhaberin und Therapeutin
meiner Kümmernisse und Ängste zugeeignet

*Das Ordnungsprinzip ist die Chronologie.
In der vorliegenden Reihenfolge entstanden
diese Gedichte von 1974 bis 1977.*

Ruf

Der Ruf des Kuckucks verbreitet
die Verlockung der Wälder:
sie senden ihn aus
bis zum Stadtrand:
einer ins Grün abbröckelnden Vergeblichkeit.

Folge der eintönigen Aufforderung.

Wohin du gelangst ist der Ort
der Verwandlung
so gut wie Eleusis. Aber
keinem Gott wirst du begegnen.

Vor jedem Spaziergänger ziehe den Hut
trotzdem
damit auch er den Hut vor dir zieht:
zwei Zweifler

über das wahre Wesen
des anderen Wesens.

Reisepläne

Reisepläne: O ja:
zu den Wurzeln der ältesten Weiden
wo Erlösung stattfindet
und Verwandlung geschieht

vielleicht in den Bernstein
der uns als durchsichtiger Panzer umgäbe
ma Mouche
doch dazu hätten wir früher aufstehen müssen

oder in die Spalten zwischen Holz und
Holz
wo wir fleißigere Insekten treffen als daheim

Hier laß es gut sein

Besser noch ins Schlupfloch ins Schlüsselloch
ins Nadelöhr
überallhin wollen wir reisen
wo wir sicher sind vor wechselndem Wetter
und ähnlichem Frost
vor dem süßen Leim wie vor
den stetigen Irrtümern der Päpste
wo keiner mit der Bibel sobald wir
aufschwirren
uns zum reglosen Fleck macht
für Ewigkeiten: zu gewesenen Engeln.

Bauwerk

Das Gestein deiner Tage
eine unsichtbare Pyramide
überdämmert vom Ende

Das Gestein deiner Erdentage
umschließt dich eng
und enger
ärmliches Monument
unter dem du verwundert
verschwindest

Aber auch dieses Bauwerk
zerfällt und in Bälde
insichzusammen und hinterläßt
geschichtlich gesehen
keine Spur

Ein verschenkter Anzug
ein zerbrochener Sessel
eine völlig verrostete Uhr
zeichnen unverantwortlich für dich

Das Gestein deiner Tage
eine Nachgeburt aus Schutt
für Nachgeborene.

Wunsch

Wie häufig der Wunsch
daß nicht sei was ist:
etwa das Drama des Lebens
hervorgerufen durch unachtsame
Selbstbeteiligung.

Minus

Langsam
verlieren wir das Bewußtsein
von unseren Verlusten
und so leiden wir
an Knappheit keinen Mangel.

Nachrichten aus der Provinz

Die ganz tiefen Zerstörungen
reichen bis unter die Oberfläche und bleiben
vorerst unsichtbar.
Eingesunken die Orte mancher Begegnung.
Inmitten der Ebenen stufige Brüche
unausgelotet. Hügelig wächst das Gras
aber es sind darunter eben Gräber.
Fassaden stehen noch doch
hinter den Gardinen schon nichts. Und
das Furnier klebt spekulativ
auf abwesendem Holz.
Wahr ist gar nichts mehr:
sobald du die Tür öffnest
befindest du dich nirgendwo. Schlage ein Buch auf
es enthält leere Worte.
Dein Bruder ist eine Hülle geworden
und geht so leicht umher
wie bestimmtes Papier. Wenn sich
die Früchte öffnen
fallen Welten zu Boden die nie blühen werden:
die Mühen der Zerstörung
haben den Kern erreicht der aussieht
wie ein Gehirn
winzig und zwischen Daumen und Zeigefinger
leicht zu zerbröckeln.

1974

Ein Gedicht mit dem Titel
»Neunzehnhundertvierundsiebzig«
wäre kein langes Gedicht
käme es zu einem wie es zu einem
geringfügigen Unfall im Haushalt kommt

Ach stets ereignen sich unversehens
Gedichte deren Inhalt doch ständig
dreihundertfünfundsechzig Tage überschreitet
pendelnd zwischen
Kindheit und Blindheit
des Augenblicks

Ein Gedicht unter einer Jahreszahl
enthielte zumindest zwölf Monate
Frühling Sommer Herbst und Winter
Fortschritt Frühstück Abendbrot
Folter Mord und Totschlag
und eine Überbelastung der Herzkranzgefäße
in Erwartung der Ausreiseerlaubnis
Besuche von Freunden wie Feinden
Nahost und Nahwest im täglichen Fernsehen
Schlaf und Beischlaf
und davor und danach jene
nie ruhende Frage

Ist es nicht richtiger ganz und gar
frei zu sein
keinem verbunden keinem Menschen
keiner Sache
einzig noch dem Gedicht

und später im Kalender zwischen Kiel
und München und Recklinghausen
zwischen Orten
denen die Eile das Aussehen raubt
ein hastiges Hin und Her
um da und dort vor verschiedenen Leuteligkeiten
zu verlesen
was wie Frühling Sommer Herbst
und Winter klingt
was klingt wie Folter Mord und Totschlag
wie: Hier ist ein Anlaß
zur Selbstdiagnose jenes heillosen Leidens
das manchmal zum Leben führt

wie ein Gedicht also
das nicht mehr ist als ein Gedicht.

Psychogramm

1

Ausdörren und hinsiechen
Die Träume vergilben verschwinden
An den Wurzeln der Standpunkte
hat die Fäulnis gesiegt
Eine andauernde Vergiftung durch Worte
Eine fortwährende Angst vor der Angst
zieht alles nach sich

Mit Hilfe von Wachs und Lack
kann im Schaukasten Dasein
unnachahmlich vorgetäuscht
werden.

2

Aber die inneren Zusammenbrüche
veranlaßt kein Sturm
Zermürbung statt durch Zeitlichkeit
durch deren Inhalt:
Bitternis im Tagmaß: die Erfahrung
des Wehrlosen: Die machen
mit dir was sie wollen.

Es bleibt etwas von der Stärke
verbrannten Papiers
um einzustürzen bei einer leichten
gelegentlichen und fremden Berührung.

Im Netz des Gedichtes

fängt sich manchmal
etwas Wirklichkeit
bis zur Unkenntlichkeit
eingesponnen
blutlos

Im Bild des bekannten
Flechtwerks
das jeden Durchblick erlaubt
lauert die beiläufige Bestie
Analogie

die alles Einmalige sofort
verschlingt

Die Verursacher

Es kommen Leute mit großen Wunden
unaufhörlich blutend und tragen
sie in ihre Büros
in ihre Betten und in andere
mit unverständlicher Würde
schweigend oder bloß
örtlich betäubt

Es kommen Sterbende
und fallen in die Parkettsitze
Frisiersessel Bankreihen
auf die ständig verschmutzten Plätze
der S-Bahn
und verschwinden in der Abstraktion

Es kommen
unsere Brüder und Schwestern
Menschen und Unmenschen
sie schleppen ihre Seelen hinter sich her
verheerend wie Abgas
und verlieren alle Kontrolle
über sich an andere
Brüder und Schwestern Menschen und
Unmenschen

Es kommen die drei
apokalyptischen Begleiter
Hoffnung Zweifel und Gewohnheit

Es kommen täglich klägliche
Millionen

Es kommen mehr und immer mehr
sie treten auf und übereinander
hinweg
und werden zum Gebirge
das einfach einsinkt eines Tages

um das altbekannte Donnerwort zu bilden
unhörbar unleserlich und
und und.

Fiktion

Es gibt eine Ewigkeit
wie ich sie mir vorstelle
als fortgesetzte Bewegung
als Tanz
zu einem alten Schlager im Halbdunkel
eines ganz verbrauchten Lokales
im Duft von Schweiß und Puder
einer Partnerin
fremder und doch inniger Körper
umarmt in immergleicher Melodie
langsamer Walzer vielleicht
etwas schwungvoll Schleppendes
nur daß manchmal eine versteckte Stimme
sänge: Dream a little dream of me
und sich unsere Lippen küßten
so als wären sie
von uns selber Jahrtausende fern
unter sonst ganz gewöhnlichen Lampen
die mein Auge blenden.

Antwort auf eine Anfrage

Die allgemeine Hoffnung ist
daß es irgendwie weitergehen wird.
Wem die Haare ausfallen
braucht sich nicht mehr zu kämmen.
Die Anzahl der Verhungernden
ist in der Hauptsache eine Sache
der Statistiker
von denen manche eine Stunde
nach einer Befriedigung anstehen falls
sie dort wohnen wo
die Hoffnung zuhause ist irgendwie
ginge es weiter. Aber
die Rötung des Rundhorizontes
über den kärglichen Wäldern der Vororte
meldet der Spezies Morgenrot nicht.

Meine persönliche Hoffnung ist
nutzlos weil nur
darauf gerichtet daß mir
in meiner sänftigenden Hängematte
unter dem lichtschirmenden Blätterdach
daß meinen Frauen und Hunden und
meiner offenkundigen Nacktheit
nicht das Schicksal widerfahre
meiner fernen und stimmschwachen Brüder
meiner kurzlebigen Gattungsgenossen
im Dschungel Brasiliens zum Beispiel
begleitet von gleichartigen Tränen
aus den starren Krokodilsaugen
der Menschheit: das Verschwinden
in einem ihrer akuten Rachen.

Gastgeschenk

Hier erhalten Sie
ein gänzlich verwelktes Blatt:
meine Erfahrung.
Meine Haut habe ich leider
längst zu verschiedenen Märkten
getragen und stehe
ziemlich entblößt da.
Im Reichtum meiner Jugend
meinte ich
vollkommen unsterblich zu sein
bis sich Haar und Menschheit
langsam verlor. Doch das

sind nur Bilder
die nichts bedeuten als den Versuch
etwas von mir sichtbar zu machen
was Sie nicht sehen
können.

Nahwest oder: Fern im Okzident

Die Schweiz
ist mir ein böhmisches Dorf:
es muß da Berge geben und
einen gewissen Dialekt
aus dem Nachlaß von Wilhelm Tell:
ein Kunstschütze, wie hier in Weimar
jemand schrieb. Seitdem
soll jedoch die Kunst dort
weniger bedrohlich verübt werden.
So finde ich
Max Frisch ganz friedlich,
zumindest saß er völlig unbewaffnet
in unserem Wohnzimmer und trank
Rotwein: das
kann natürlich Verstellung gewesen sein
und er ballte oder spannte
unterdes die Armbrust schon
in der Brusttasche.

Man weiß zuwenig
von diesem Land, seinen Bräuchen
und Bewohnern, weil sie immer
behaupten, sie wären im Grunde
ganz anders, wenn man einen trifft:
ich meine: nicht ballistisch.

Englische Gedichte

I

Keiner fragt
nach den Schnecken beim Anblick
der leeren Gehäuse.
Unpersönliche Sedimente
ohne Spur eines besonderen Gelingens
eines Glückes
sind Häuser
wie diese Schneckenhäuser
und ebenfalls leicht zu zerstören.

Den Inhalt verschlang
jener gewisse Moloch
mit dem guten Magen
menschenbürtiges Wechselbalg
das einst schön und gut werden soll
brav und verständig
(laut Verlautbarung)

bis dahin aber
sehr hungrig ist.

Wenn ich aus der Ohnmacht
der Nacht erwache
erinnere ich mich nebensächlicher Dinge

der alten Frau auf dem Pflaster
Charing Cross Road war ihr Sitz
sie spielte Mundharmonika
und sah vor sich hin und sah
nichts
oder nur Beine und Röcke
nur Bewegung nur Passanten
nur mich

nebensächliche Dinge

ich bin ganz sicher
sie hat mich vergessen
die heruntergekommene Parze
deren einziges Lebenszeichen
dünne Melodien
der Straßenlärm überdeckt.

3

In den aufgereihten Hinterhöfen
präsentiert die Ohnmacht ihre Signale
den elektrischen Zügen
die nichts hören nichts sehen
nicht anhalten

Völker fahren hier täglich vorbei
und nehmen Einblick in Armut
absichtslos einsichtslos

Wen trug der zerbrochene Kinderwagen
Gehören die Wäschefetzen
einer kranken Jenny
Alle Ziegel sind schwarz patiniert

Die Welt von Charles Dickens
führt ihr Fortleben am Gleisstrang
in aufgereihten Hinterhöfen
und meldet: kein Gefecht.

Die schwarze schmierige Wurzel
im Boden verborgenes Wesen
ein rundes verästeltes Ding
krumm wie die Tücke
lichtscheu
ein geheimer und dauernd
fressender Mund
eine verkrüppelte aber kräftige
Hand
im feuchten Schoß der Erde
zu keiner Bedeutung bereit
immerdar.

Steinkugeln auf Pfeilern häufig
am Gartentor. Rostrote Ziegel weiße
Fensterrahmen und Türen und grün
das Gras
der Himmel verdeckt
die Erde aus Lehm und nie
kommt jemand heraus tritt jemand ein
leere Autos rauchlos
die Schornstein-Kollektion:

Jede Straße heißt Loneliness Road
vom Bus nur berührt
von Wagen gestreift
ihre dauernde Starre nicht zu zerstören
die gläserne Pyramide
unter der
zu ewigen Abbildern ihrer selbst
die Bewohner geworden.

6
(In der Bibliothek)

Da stehen sie nebeneinander
die Feinde die Unvereinbaren
Seite an Seite
Gestrige und Gegenwärtige
nicht länger von Zeit mehr
getrennt vereint
in geordneter Zeitlosigkeit

Handlich verwandelte Existenzen

Etwas bildet da Reihen
gleichmäßig und fossil
und an ihren gleichgültigen Rücken
gleitet jede Beängstigung ab

Dauer wird dir gewährt
in ihrer Weise
wenn du so einschrumpfst und
trocknest und dein Leben vergißt
und deinen betrübten Schädel
in die Papiermühle schickst.

7
(Poem for Linda)

Inmitten ihrer Sammlung
von Schmetterlingen die aussehen
als wären sie tot geboren
flattert Linda umher

nippt am Telefonhörer
hüpft zu den Blechschränken
oder wieder auf ihren Platz
oder anderswo hin
im Flur jetzt oder nach draußen
jetzt falls
ein Fenster sich öffnet vielleicht
unruhig durch die Luft

im Gegensatz zu Black Papilio
zu Catagramma und Rhadamantus
die sogleich nach dem Schlüpfen
und dem ersten Entfalten
der bebenden Flügel
von *Worldwide Butterflies LDT*
Sherborne Dorset
mit einer Nadel
durchbohrt werden.

Blists Hill nahe Ironbridge

Die Umgebung einsam und düster
wie der Mittelpunkt:
zerbrochene Ziegelei
verfallene Eisenschmelze
verschorftes Metall gebeingleich
aus dem Lehmboden gewaschen

weiter oben
magere Bäume mattgrün
überzogen

noch weiter oben
die Wolken grau und unfertig
und eilig

feiner Regen

Berg
der einst kreißte
und die Industrie gebar

entfärbter Schrecken

von hier über die Erde gekommen
Düsternis und Einsamkeit hinterließ
und die Ahnung
von einem unmenschlichen Anfang
vom Wechsel der Abhängigkeiten
von ihrem Ende
nicht

bestimmen die Gegend
die Eingebung.

Lange Dämmerung düsterer Tag
Lautlose Nässe und Wind
die ungetümen doch gerundeten
Berge
nackt und nachweltlich
untrauliche Hinterlassenschaft
verflogener Völker

Fantasie-Landschaft
in gebrochenen Farben oder
in purem Dunst
manche der Gipfel
vom konturlosen Grau versteckt
den Anblick zu entkräften

In verstreute Schafe
zog sich das Leben zurück
und sieht den Fremden an
mit einem Blick
abgründig und leer
wie die Natur selber.

Studentenheim-Nachbarn

In der Umschlingung kommt
in der Abwesenheit findet
unter dem Dröhnen
einer langsam rotierenden Platte
keiner von beiden
zu sich
keiner zur Welt

Im freien Fall aus der Zeitlichkeit
scheinbar
(beflügelte Hände
bewegter Leib)
schlügen sie nicht
in zehn Minuten etwa
auf dem steinernen Boden
ihrer Gegenwart auf

unzerbrochen
unfrei
also

Spielzeugmuseum in Rottingdean

Gesellschaft aus Blech
voller abgenutzter Farben
Federwerke längst außer Funktion
starre Haltung starre Mienen
aufgedrucktes Lächeln
grüßt an dir vorbei

Für immer
sind die zwei Radfahrer unterwegs
für immer erwartet der Billardspieler
die Rückkehr der Kugel aus der Versenkung
für immer und ewig
tragen die beiden Chinesen
einen geheimnisträchtigen Kasten zwischen sich her
und haben doch einmal
Liebe erlitten:
sieh nur die beschädigten Stellen

In den Nächten
ihrer fleischernen Spielkameraden
aber erschufen sie
Angst oder Vergnügen
wenn ihre starre Haltung
die starren Mienen auf einmal
lebendig geworden

Blecherne Gesellschaft
Ziel und Anlaß von Träumen
deren Spur die anderen Spuren
verbergen.

Erinnerung an Wales

Ein früher Aufbruch
an der Irischen See
Kalt und warm zugleich der Wind
Wolken aus reinem Regen
vom Meer her uns entgegen
getrieben
Wir schlüpften naß in triefende
Geborgenheit aus Blech
auf Rädern

Morgens war Nacht
Dunkel über dieser Erde
Langes Dunkel und ungesehen könnten
keltische Mönche landen
den Glauben unbemerkt verbreiten
Hier sei Eden – nur unerkannt
Erstes und letztes Refugium
der Menschen (wißt ihr noch wer
die gewesen?) vor Menschen (jetzt
wißt ihr wer.)

Von den Bergen überall lief Wasser
von Häusern aus behauenen Blöcken hinab
Wasser von wegbegleitenden Mauern und rann
und sickerte
unter sich alles glänzend grün alles
wuchernd: Weine niemals mehr
denn dein allein
ist der Weg durch solche große Finsternis

Motorenlaut und Scheinwerfer voran
heben nur dir
immer wieder Straßenzug um Zug entgegen
wieder Fachwerk wieder Fenster
ganz verhangen wieder Türen
ganz verschlossen
wieder Menschenleere
wieder deine späte Frühe
Abfahrt Meer und Regen
Wolken Wind Barmherzigkeit.

Friedhof in Warwick

Ungewöhnlich grün die Grabplatten
die schiefstehenden Stelen
Sarkophage völlig übergrünt
Die Sohle sinkt ein
in lauter Grün
aber es gibt keine Spuren
Die Weltgeschichte ist
zum Sonntagnachmittag geworden

Wir ahnen Gewölbe
aus versteinertem Glauben
Im Dom Tafeln
für unauffindbare Regimenter
Ihre Fahnen
bloß Spinnweben noch
ob Siege ob Niederlagen
versäumtes Leben immer
unbelehrt vom schleichenden Grün
jenes und jedes Friedhofs.

Eine Metapher

Bäuche und was darinnen ist
das hilft uns weiter. Schoß auf Schoß
sich hebend und senkend
verbieten die Gesetze in Gartenrestaurants
aber jedoch.
Unsere Welt besteht nicht aus Marmor
eher aus Bruchstück und Kaltleim
und es heißt: Das geschähe uns recht.

Wenn ich dich ansehe:
Gestühl deine innigen Beine
deine Wirbel die Leiter für den
und jenen und wieder: den.

Denn wozu geschieht
daß dein Fleisch einmal friert und
einmal schwitzt und einmal zerfällt.
Ob man Blut trinken könne
fragt sich der Einsame und Machtlose
doch das ist keine Frage.

Nämlich solange
klein wie sie sind die Geister
auf unseren schwermütigen Nasen
miteinander verkehren und ins Gegenteil
dauernd ihr windiges Wort.

Schließe die Augen

im Garten oder im Bett oder
vor dem Leben. Die Stimmen
deiner Träume wie
von Insekten und anderen Mitbürgern
bleiben bei dir:
eine unvergängliche Glocke
aus Geräusch.

Der extreme Schrei der sterbenden
Maus. Hall
eines fallenden Blattes.
Das eigene Schluchzen
das gewöhnlich zum Aufwachen führt.
Befehle und Lügen
Geplapper und Gesang
versetzt mit Symphonien und Salven
mal näher mal ferner.

Vor deinem Erscheinen war die Welt
voller Stille.

Dann: lauter Lärm
erzeugt an den Akademien des Irrtums
geistesabwesend wie immer
von irgendjemand
der wie du heißt.

Sieh da die schwunglosen Engel

Auch wir haben das System
des Überflusses
vor allen Dingen in Form von
überflüssigen Dingen
welche die notwendigen ablösten
ohne sie zu ersetzen:

die Läden sind übervoll
von Produkten
die keiner braucht indes alles
Benötigte
durch Abwesenheit glänzt

und immer glänzender ist und wird
durch Verlangen danach:

so schweben wir über der Erde
eine Handbreit stets.

Lagebericht

Alles ist möglich und
gleichzeitig ist alles unmöglich.
Nur noch Natur
ist uns geblieben oder was
von ihr geblieben ist. Um uns
geruhsame Steine von seligen Vorläufern
deren Zukunft
bis zum Jenseits gereicht hat.

Unser ist der Tag
der keinem gehört. Wir sitzen
im schwarzen Licht
essen Gift trinken Säure
wir denken wir leben
und verschieben die Folgen
auf Morgen
wo wieder mehr möglich ist
und noch mehr unmöglich
wo wir alle so sind
wie alle sein werden:

fernerhin Stückwerk
trostlos unaufgehoben
endgültig unnütz
der Rest
der verschwiegen wird.

Venedig II

Nach dem Untergang Venedigs
werden sie sagen
(ihr wißt schon wer)
es hat nie eine Stadt
auf einer Lagune gegeben

Alles Erfindung

Und wer da Byzanz überfiel
das waren die Deutschen
wie von jeher
(Fränkische Ritter am Fallschirm)
Legenden beschreiben nur
einen erdachten Ort
Es ist bloß ein Begriff
für eine kanalisierte Anlage
doch nach einiger Zeit
am Horizont des Vergessens
tauchen die Kuppeln von San Marco auf
der Dogenpalast
die Piazetta mit den zwei Säulen trotzdem
und
die Gefängnisse füllen sich
mit Leuten die glauben
auf dem Canale Grande gefahren
zu sein.

Bedarf

Wir benötigen Wunder weil
es unübersichtlich zugeht
im ernsten Dunkel der Geschichte:
Verfolgte
werden Verfolger und werden wieder
verfolgt. Das kommt von
der Lichtlosigkeit unseres Universums
so sagt man so schwanken wir
in eigener Sicht dahin wegen der Worte
die alle
auf uns gemünzt sind zum Lohn
bleierne Währung
die im Lande Nirgendwo gilt

Es verbergen nämlich stählerne Schränke
das bekannte Geheimnis
fortwährend schwungvoll signiert
mit Namen aber nicht
unseren und das ist der Grund
warum wir Wunder benötigen
um zu überleben zwischen dauernd
malmenden Welten.

Zur Archäologie unseres Verschüttetseins

Regen und wieder Regen
Krieg und wieder Krieg
Eins gnädig eins gnadenlos
einmal Natur aus erster einmal
aus zweiter Hand

Ein Zug fährt wieder
nach dreißigjährigen Kämpfen
die alte Strecke wie vordem
Ruinen verschwinden
aber mit ihnen die Welt
wie sie war

Nie nehmen wir wirklich Abschied
von unserer Vergangenheit
denn ehe wir zu ihr kommen
zerfiel sie
zu Staub und Asche irgendwo
als sie noch Gegenwart hieß

Auch würden wir gerne die Toten
einmal umarmen wären sie nicht schon
zu Worten verarbeitet worden
langen Gebinden aus Worten
die keine Gestalt mehr bezeugen

Hätten wir die Stimmen des Sterbens
festhalten können unser Ohr wäre kaum
so ertaubt vom Reden
Manchmal sind die Dinge
undurchdringlich manchmal glasklar
aber so wie Scherben
bevor man sich an ihnen verletzt
und verblutet.

Schlupf und Winkel

Mehr Räume. Je mehr
desto tiefer. Kammern und voller Gerümpel:
etwas wie
plötzlich reglose Schränke dabei und halbklaffend:
etwas wie Schübe
einen schwarzen Spalt breit offen
etwas
wie Fach und Lade
doch mehr und wie eingewachsen: etwas
entwuchert den Dingen
in älteren Häusern und mit der wüsten Kraft
wilden Fleisches
schließen wir uns dem Mauerwerk an:
wir halten uns fest
in ungezählten Zimmern
fester denn je und wer
ein Bild von der Wand reißt
verursacht eine heillose Wunde:
daher stammt der Geruch von Blut
zwischen verbrauchten Mauern:

abgerissen und ersetzt
durch mehr Räume
für mehr und tiefre
Vergeßlichkeiten.

Stille

Verschiedene Sorten von Stille
kostbar
wie die letzten Exemplare
ausgestorbener Arten:

Vertriebener Jahreszeiten
stadtfernes Schweigen

Münder auf Fotografien
seltsam wortlos und überflüssig
im Gegensatz zu den Augen
den Verrätern des Unmittelbaren

Stille verlassener Keller
aufgegebener Höhlen
vergessener Ruinen
Stille von leeren Kartuschen
sandbedeckten Gruben
weit verstreuten Gebeinen der Tiere
der Menschen

doch die deutlichste Stille
entbietet allen der Staub

Rarität
im Kosmos aus lauter Lärm
im Gedröhn vergeblicher Greuel.

Geschichte II

Auf Blättern aufbewahrte
ferne Vergangenheit: der Tote
der niemals fault
den nichts wiedererweckt

Aufbewahrtheit des Baumes
als Asche

Steiles Schwarz
aber noch leserlich
auf der pergamentenen Zartheit
alter Haut jener
insichverkrümmten und stark
verwickelten Mumie

von der es heißt: sie sei
unser Lehrer
in diesem Zustand
erst.

Schofar

In das gewundene Widderhorn ein Maulvoll
in des Rammelbocks Rest mit allen Lungen.
Die Methode ist alt
und der Erfolg literarisch belegt.
(Josua 6; 4/5)

Wenn der Atem wegbleiben will
oder die Hoffnung:
Gedenke Jerichos.

Vortäuschungen

Mit verstellter Stimme reden
als wäre alles gut
als wäre nichts gewesen
nicht
zersiebte und wieder verputzte Wände
Unter Fußballplätzen Leichenmassen
Knüppeldämme aus Knochen
darüber Züge rollen und die Passagiere
nichts ahnen dürfen

Da werden mit verstellter Stimme
Stationen ausgerufen
längst mit falschen Namen geschmückt
Nur der Rauch ist echt
und keine Kulisse

Weil wir alle nur das Beste aller
wollen wird alles schlimmer
und da
ihr Inhalt verfliegt
wird jede alte Wahrheit hohl
und zerbricht
am ehesten.

Gedicht nach Benjamin

Der Feind der
zu siegen nicht aufgehört
zog die Toten aus ihren Gräbern
und maskiert ihr vertrautes Gebein
die ehrwürdigen Schädel
knüpft Fäden um ihre Gelenke
daß sie vorbildlich tanzen
und nie aus der Reihe
eine Sarabande trauriger als traurig
aus knöchernen Mündern
Wortbänder
als hätten sie je das gemeint
was sie jetzt sagen

Das soll ihr Nachleben sein

Der Feind aber der
zu siegen nicht aufhört
zieht die Toten aus ihren Gräbern
und tötet sie noch einmal.

Natur II

Dieses ausgelaugte Holz
und dieses frische der Kiefer

Nur zu bald überziehen sich im Gras
Ziegelsteine grün
der Mauergemeinschaft entkommen

Was dem Regen ausgesetzt wird
dem Wind wie der Windstille
Winter und wieder Wärme
wandelt sein Wesen indem es
sein zweckdienliches Aussehen aufgibt

Du seltsamer Sessel
aus geflochtenem Rohr auf vier Beinen
lange Zeit unterwegs und schief geworden dabei
abwartend noch oder schon ganz zukunftslos

Ihr Bruchstücke ringsum
für niemanden außer euch selber
versammelt:

Wahr ist die Welt nur
in allem was ihr nichts nützt
und: Den Ausgestoßenen allein
gehört der Mut zum nötigen
Verrat.

Erinnern V

Vom sanften Schweiß der Nacht
beschlagne Scheiben: Abteil
Gerüttelt Unmaß darin der oder jener
oder du selber spät unterwegs
wie ausgestoßen oder eingeschlossen

Lärm von Metall
Ein neues Mittelalter bloß
auf Rädern und auf langen Schienensträngen
und dann: Ein Halt

Vergeßbar nie: die Lampe
die alle Schwärze um sich sammelt
Dazu Gestalten
wie nicht von dieser Welt weil du
sie auf der Welt
nie wiedersiehst

Du bist nur in der Heimat
deiner eigenen Müdigkeit und fährst
zu keinem andren Ende hin
als diesem.

Beim Lumpensammler I

Tüten für den Abfall
Säcke für das Gewesene
Jede Mülltonne enthält
unsre persönliche Wahrheit

Kiefernknochen
mit ausgefallenen Zähnen
von Opfern fortwährender Feste
wo Feinde sich verbrüdern
und Brüder einander mühsam
verschlingen

Nur der Lumpensammler kennt den Mangel
an Menschen
weil ihrer zuviele sind
und die meisten unfertig fortgeworfen

Nur Lumpensammler kennen die Erosion
des Überlieferten
das bei Berührung zerfällt und
weggefegt wird

Sie kennen genau Schutt und Scherben
die letzte Basis aufrechter Sätze
die wie Säulenstümpfe
aus dem Jahrhundert hervorragen
und etwas bezeugen und
weiter nichts.

Meine Gedanken

Oft sind sie furchtsam und furchtbar
und umkreisen das Ende
oder flattern sogar von dorther
blutig wie zerstreute Fotos
nach einem Flugzeugabsturz
daß ich erschrecke und
mich abwende von mir.

Oft zwinge ich sie zusammen
zu einem Fluchtweg
der einer Hängebrücke ähnelt
von einem Dschungel in einen andern
bedrohlich drunten der Fluß
unsichtbare Bestien darin
ich und nochmals ich.

Meine Gedanken sind Fremde
von irgendwoher
wo man nicht daheim sein kann
Emigranten aus einem Reich
das *Perdu* heißt

gekennzeichnet von Luftspiegelungen
wie andre Wüsten.

El Dorado

Bäume wie vermutet
waren viele da. Flüsse
unbestimmter Länge unbekannten Namens.
Zu Fuß voran hauptsächlich.
Tag für Tag und jeder wohl vermerkt.
Die Meilen
wuchsen unter den Sohlen uns hervor.
Weit durfte es nicht mehr sein
nach solchem Weg und von einer Lichtung
erblickten wir auch wie ersehnt
es hinter Wipfeln
in einer gewissen erwarteten Pracht
und zwar als hätte es sich immer schon
hinter den vorigen Wipfeln befunden
und obwohl wir heftiger durchs Unterholz
Ja
aufgepeitscht uns immer weiter näherten
schien es selber
weiter fortzurücken
so daß wir durstig und zerlumpt
von unbekannter Krankheit fiebrig
trotz aller Mühen es nicht erreichten
ohne Erklärung für das Rätsel
von dem dann später
die Überlebenden berichten
als glaubten sie den eignen Worten nicht.

Klassiker II

Rasiert und angestellt
sitzt im Büro
den Kopf in seiner Hand
entleert in lauter kleine Sprüche
die gigantischen Gedanken: Er.

Hört denn nie dieses Elend auf
von dem Philosophie ein Abglanz ist
wie Wetterleuchten
und auch so nützlich. Zitate
helfen nichts:
Aus dem Steinbruch der Geschichte
stammen stets die Quadern
für neue Kerker
mein lieber Mohr.

Ringsum die Massen derer
du unentwegt gedacht: wir

wir stolpern
von deinem Wort geleitet
von einer in die andre Finsternis
rasiert und angestellt
und rettungslos.

Gedicht

Immer verweigert sich
das erste Wort und sträubt sich
Immer ist es das zweite
das sich hervortut: das schwächere.
Es hat einen Sprung
das hört man am Klang

Das erste Wort wäre so
wie wenn bei Sonnenaufgang
das Licht
durch einen langen steinernen Gang
zum ersten Mal
in eine ferne erdbedeckte Kammer
fiele und sie erhellte

Aber immer drängt sich
das falsche Wort vor und
das Innerste der Welt
bleibt dunkel
weiterhin.

Sperma

ist auch nur ein Wort
und bedeutet nichts
Wenn du im Bett liegst
und denkst in das Dunkel hinein
an wenig mehr als die bunten Weiber
für alle Ewigkeit
mit einem Schwanz zwischen den Lippen
vollkommen schelmisch
weil der Fotograf dir
wenn du im Bett und ins Dunkel hinein
für das innere Auge
was bieten wollte und für
den inneren Menschen der da allein
liegt und nichts denkt
wenigstens etwas Handfestes
etwas Handgreifliches
doch
Handansichlegen ist auch nur
ein Wort und bedeutet
was anderes

Was anderes aber das ist
Das Nichtmehr Das Nichtsein Das Nichts
ohne fernerhin Sperma
das sich immer wieder erneuert
bis ins hohe Mannesalter
Im Gegensatz zum Nichts:
Einmal erzeugt bleibt es
bestehen in seinem Zustand
fortwährender Reglosigkeit
in dem du
keine Hand mehr rühren kannst
und ich auch nicht.

Biblische Geschichte II

Die Welt so ungetrübt
von Wirklichkeit wie hierzulande
wie es heißt und klingt und singt:
Kein Jammertal
vielmehr ein Paradies
geartet leidlos und gelitten
inmitten anderer Infernen: Nackt
steh ich da und du
nackt alle wenngleich nicht allen
sichtbar: Das ist Gesetz: Die Hände
ziemlich leer im Schweiße unsres Angesichts
höchste Moral durch Handbetrieb und
Naturalwirtschaft
Mundwerker überschäumend meist und kein Gedanke
bleibt geheim
es sei denn der unerforschlich ist für jeden
weil betrifft
Vergangenheit wie Gegenwart
so Zukunft nach sich zöge
was schon an Hiob statuiert: So also
desto lieber man
unter irdischen Gefährten
im prophezeiten Garten
dem einstmals ernst gemeinten
aus dem bizarrsten Buch der Bücher
schweigt.

Die Hamelner Lösung

Hervorrufen der Worte
aller und jedes

wenn sie mir folgten
meiner Lockung
ich zöge mit ihnen davon
und ließe stumm
meine Zeitgenossen zurück:

auf daß sie einander
endlich verstünden.

Sommer

In der Mittagshitze wenn alles schläft:
Die Katze leblos auf der Seite
Die Fliege im Suppenteller
Blumen im Stehen
Einwohner hinter verhangenen Fenstern
satt und erfüllt von Ruhe vor den Stürmen
die meist im Glase enden
in Mittagshitze und in Schlaf
damit ein Kind durch Wiesen läuft
ohne Spur inmitten aller Halme
fern im Vergangenen:

Von allen atmosphärischen Erscheinungen
die eine die etwas anzeigt
wofür der Name Herbst noch nicht
das letzte Wort gewesen ist.

Unfaßbare Wirklichkeit

Einwohner von Kühlschränken
fragen sich oft: Wodurch eigentlich
ist es so kalt geworden?
Was haben wir falsch gemacht?
Die thermischen Gesetze
um sie zu beherrschen studiert
und trotzdem
ist in jedem von uns
eine kleine gefrorene Gestalt
ein paar Worte fest auf der Zunge
die nie mehr auftauen werden:
»Du bist das Holz, ich bin die Flamme!«

Sie waren verkehrt
wie es heute in der Gebrauchsanweisung
für die Einwohner
von Kühlschränken heißt.

Dressur

Die Erfahrungen der Warmblüter
Erlebnisse
in die großen knochigen Köpfe
eingegangen
Der Trab an der Longe rundherum
Galopp im Karree
Der Sprung über die Mauer
der einmal mißglückt
Das Begräbnis
in einer Vielzahl von Büchsen
und das endliche Zerstreutwerden
unter lauter hungrige Hunde
und Katzen
das nutzt niemand etwas
und hilft nur dem Vergessen

daß jedes Ziel
über dem nicht *Ziel* steht
unerreichbar bleibt.

Beim Frisör am Stadtrand

Wäsche wie kaum gewaschen
Kleidungsstücke aller Art
aus dem Hinterfenster
des Frisörs zu betrachten
indem man Platz nimmt:
Im Spiegel vor mir
sehe ich jemand
der auf dem Holperweg
zu diesem Lotterladen
unerwartet gealtert ist.

Hinter der Sessellehne
ein Mädchen im grellroten Kittel
ohne Konturen aber
mit sanfter Bewegung ihrer
gummiweichen Finger:
Bitte wenden Sie den Kopf
nach links: Ich weiß:
Dem Fenster zu und der Reihe
schlaffer und hauptloser Mumien
an denen nichts mehr
zu frisieren ist.

Erinnerung an Babylon

Nicht einer: viele
Türme himmelsstrebsam
und gehäuft. Asyle
menschlicher Gebrechlichkeit
bis zu den Wolken. Die Tempel
daß sie ja nicht bersten
entladen sich von ihren Schätzen
durch Billigangebot und Sonderpreis.
Abkömmlinge der alten Länder
durchstreifen fremd den Ort
der allen Fremde bleibt: Platz
des Vergessenwerdens
keine Stadt. Ein Leben
im Quadrat und Raster
unerkannt und einsam. Kybele scharenweis
am Großen Weißen Weg für alle
käuflich. Soviele Götter
wie da Straßen gehen
auf unsichtbar gewordnem Fels
zwischen zwei Strömen: des nachts
voll Licht und Angst
des tags voll leerem Tun
das an die Fundamente des Vergangenen
schlägt und es zermürbt. Das Ende
noch nicht abzusehen von keinem
der noch so hohen Türme.

Dialog beim Spazierengehen

Zwischen den Zäunen
die ihr Aussehen änderten
während unseres Spazierganges
(mal graues Holz mal
rostiges Drahtgeflecht
gemildert von Wicken)
während unseres Gespräches
dessen Worte
aus verschiedenen Büchern kamen
veränderten sich die Bücher
zur Unkenntlichkeit

Montaigne sprach mit Heinrich
von Kleist Kleist mit Proust
und Proust erwiderte unbestimmt
etwas
In unseren Stimmen
der Ton der Toten verklang immerzu:

Das Heben und Senken der Füße
galt den Peripathetikern
als Grundlage des Denkens

doch indem die Sätze
hinter unseren Schritten verwehten
verliefen wir selber spurlos
und gelangten am Ende
nirgendwohin.

(für Hans Mayer)

Fotoalbum II

Ein rechteckig begrenzter Hades
den du manchmal abends betrittst
aus einem ungewissen Verlangen
nach Vergangenheit

Schatten sehen dich
reglos an
In unbequemer Pose mitten unter ihnen
immer einer mit deinem Gesicht
den du zu kennen glaubst
doch das ist ein Irrtum

Es handelt sich um eine Figur
in verschiedenen Phasen des Rückganges
die eines Tages
unablösbar vom Hintergrund wird
(das erfährst du nicht mehr)
und die Gleichberechtigung verliert
mit einem verschneiten Gipfel
einer Welle oder bloß
mit den gestreiften Tapeten
von nebenan.

Letzter Gartentag

Hast du bemerkt
wie entgegen dem Augenschein
die Fliegen wie die Fliegen sterben?
Sommer für Sommer mißlingt
der Ausbruch der Wespen
aus einer ausgetrunkenen Cola-Flasche.
Die Blätter ringsum sind rastlos
und fallen trotzdem
wie du siehst und meine Hand
auf der Lehne ist eine unbeholfene Wurzel
nur für eine Weile zum Festhalten
geeignet. Der Schatten des Hauses
nähert sich uns unaufhaltsam
wie ohne Absicht.
Hast du
den schwarzen Falter bemerkt
jetzt am Nachmittag und daß er
aussieht wie Asche? Und
daß alle Dinge sich anstrengen
damit wir etwas wahrnehmen
was so wenig zu bemerken ist
wie die Bewegung der Erde
im Universum
obwohl genauso
unwiderruflich.

Skulptur eines
unterworfenen Germanen

Im schattenlosen Licht
der beigefügten Bildtafel
von keiner Witterung mehr
berührt
knie ich steinern auf Stein
das Gesicht geneigt
eine Hand erhoben
abwehrend
jeden Versuch
mich in die Geschichte
zurückzuverweisen
als eines ihrer Denkmäler

Denn ich lebe

immer noch in jedem
der mich für vergangen hält.

Sonnenblume

Der Neigungswinkel zur Erde
entspricht ihrer Demut
Schwankend und um sich greifend
mit schlaffen grünen Händen
hält sie sich aufrecht
Ihr Kopf ist schwer
von Hoffnung
Sie blickt zu Boden
mit vielen Augen und ahnt
nichts von künftiger Blindheit
die ihr schwarmweise zugefügt wird
in der Zeit ihrer Reife.

Abbild vom Tage

Lange leblose Tage
Keine Miene regt sich
im Gesicht allgemeiner Abwesenheit
Ein ergreifender Stillstand
ohne Horizont und Ausblick
weil alles ringsum verdeckt ist
von brüchigem Holz im Geviert
das schon fault
unter der hilflosen Hand
Alles verdeckt von Blättern und Blumen
von Tafeln und Inschriften
von langen Sätzen aus kürzlichen Worten
hinter denen
du dich selber vermutest
aber das ist von allen
der dauerhafteste Wahn

Du bleibst nämlich der
den sie an den Beinen wegzogen
eine lange blutige Spur
die ganze Straße lang
zu Ehren der Tafeln und Inschriften
und anderer Irrtümer
für immer.

Bitte um Taubheit

Die Bäume zeigen viele grüne
die Wände ihre Ohren nie
die stumme Frage heißt: Wer
ist zur Gänze nichts
als eins
die Antwort unbestimmt
Für seine Sorgen findet keiner
ein offenes ein offizielles ehestens
was wiederum bedeutet: kein Gehör

Glaubst du an wahres Verstehen noch
wie ich nicht mehr?

Wir sind daheim
wo es sehr lauschig ist
dazu die eigne Schande
vermutlich und vernehmlich
hinter jedem mitleidslosen
Paravent.

Keine Neuigkeit aus Troja

Wer
einen Traum wahrmachen will
zerstört jeden Traum
gestand Kassandra sterbend
Aber
was vom Bekenntnis der Wahrheit
auf Erden verbleibt
ist mir fremd
nichts Menschliches

Erbrochenes Blut
ein Farbfleck
das Wegwischen
nicht wert

Herbstgedicht

Massen von Licht
Das Licht der Erfahrung
an einem frühen Morgen im Herbst
Keine Bewegung der Luft
Kein Geräusch
Nur Klarheit

Für die späteren dunklen Tage
zum Nachleuchten

Für den gewissen Winter

Für die Undurchsichtigkeit der Welt
nimm etwas Sonne zu dir
nach trauriger Schildbürgerart.

Venedig III

Der Kanal zwischen Fassaden
von Palästen
schon ganz und gar verblaßt
Leblose Türen und Fenster
starren auf unverfließbares Wasser
überwölbt von drei Brücken
in unterschiedlicher Höhe

Aber alles ist menschenleer

Wie niemand es je gesehen
außer dem Fotografen

Die Perspektiven
auf der Flucht vom Betrachter
nach hinten in ein Nichts

Geometrische Metapher
die auch alle Stätten unserer Gegenwart
in einem Moment mangelnden Augenmerks
unversehens betroffen hat.

Unterwegs nach Utopia I

Vögel: fliegende Tiere
ikarische Züge
mit zerfetztem Gefieder
gebrochenen Schwingen
überhaupt augenlos
ein blutiges und panisches
Geflatter
nach Maßgabe der Ornithologen
unterwegs nach Utopia
wo keiner lebend hingelangt
wo nur Sehnsucht
überwintert

Das Gedicht bloß gewahrt
was hinter den Horizonten verschwindet
etwas wie wahres Lieben und Sterben
die zwei Flügel des Lebens
bewegt von letzter Angst
in einer vollkommenen
Endgültigkeit.

Unterwegs nach Utopia II

Auf der Flucht
vor dem Beton
geht es zu
wie im Märchen: Wo du
auch ankommst
er erwartet dich
grau und gründlich

Auf der Flucht findest du
vielleicht
einen grünen Fleck
am Ende
und stürzest selig
in die Halme
aus gefärbtem Glas.

Atlas

Zwar noch gebeugt
aber die Arme schon leer
und herabgesunken
Die sonst steinerne Miene
gesprungen vor Schreck
über den Verlust der Last
auf dem mythischen Weg
irgendwohin durch die Zeit

Plötzlich überflüssig
ein nackter Überlebender seiner Aufgabe
die ohne die Kugel mißlungen:
der er folgen muß ins Vergessen
überweht
von ein paar Fetzen Poesie.

Curiculum vitae

Vorbeigehenlassen der Zeit
Aufstehen Zähneputzen
Schuheanziehen Sterben
Am ausgeprägtesten ist
die Leere
und bereitet die meiste Mühe

Wie lebendig dagegen
sind die Toten
nämlich im Gespräch
in ihrer handlichen Wörtlichkeit:
So schwarz auf weiß
werden wir nimmermehr sein

Wir sind nur noch Gerücht
und glaubhaft
nicht länger als
ein kurzer Schmerz
beim Schuhanziehen
oder Sterben

Laterna magica

Das bunte Bild der Zukunft
an die Wand geworfen
und reglos: Es sieht so aus
als hätte es immer so ausgesehen

So glücklich die Schlittschuhläufer
ungreifbar durch Abwesenheit
der Handlangerin *Dritte Dimension*
Stadtschaften in der Geborgenheit
rechteckiger Glasplatten
geben ihren Fortgang zu bedenken
(kein beispielhaftes Verschwinden:
nichts für uns!)
Volkstrachten und Völkertypen
Peitsche und Kreisel

Die Spiele der Kinder
zeichnen zum Ende der Vorstellung
die Untaten vor
wenn die Laterne im Licht
der Gegenwart verlischt.

Neues vom Amt I

Vom Amt
zur Genehmigung von Lebensäußerungen
kann man sich eine Portion
Atem zuteilen lassen
Er ist zweiter Güte
Nicht mehr ganz einwandfrei
und riecht ein bißchen nach Tod

wie der letzte Hauch
eines Verzweifelten
der sich hinter der Eingangstür
aufgehängt hat

überdrüssig des Wartens
auf frische Luft.

Neues vom Amt III

Nun werfen sie ihm
den Besitz eines Pelzmantels vor
sein Bauwerk
seine Beziehung zu Kafka
sein stilles Wirken

Ach
ein gelungener Maulwurf
bleibt unfaßbar und immer
unter der
allgemeinen Oberflächlichkeit.

Windige Zeiten

Mit unbeholfenen Bewegungen
reagieren die Bäume
auf den Wind
Ohne Wurzeln würden sie
davonlaufen
vertrieben und fruchtlos
in regellosen Herden dahin
wo nichts und niemand
sie beugen will

Welche kahlen Weiten
auf einmal.

Was uns betrifft

Altes Papier
auf dem nichts Neues steht
oder neues Papier
mit den vergilbten Kundgaben
(Einziges was gegeben
im Gegensatz zu dem was
genommen wird)

Nichts ändert sich
außer dem Datum und
der Orthographie
Jede Formel folgt der nächsten
nach unbekanntem Gesetz

Eine Schimäre
mit flackerndem Blick schreibt
alles solange ab
bis wir uns daran gewöhnt haben
und unsere Todesurteile selber
nicht mehr entziffern können.

Kennzeichen des Todes

Als sei der Mund nur
zum Schweigen da
Augen die nichts erkennen
Ohren die kein Signal mehr vernehmen
Steh' auf und wandle
umsonst vorgesagt

Bewegungslosigkeit
und leichter Gestank:
Schaudere wenigstens davor
und vor dieser Zutraulichkeit:
So beunruhigend wehrlos
das Haar ordentlich
die Hände gefaltet
vorbildlich
Man kann mit einem Toten
alles machen wäre dies alles
nicht rein gar nichts

Vorführen aufschneiden verarbeiten
oder verkaufen: Irgendwohin

wo jemand
einen Leichnam mit der Erfahrung
des Nichtseins gebrauchen kann
derer wir nicht mehr
bedürfen.

Früher Morgen

Durch meinen Halbschlaf
ziehen morgens die Müllmänner
polternd
mit ihren verrosteten Tonnen
und verschwinden wieder

Einen Wunsch versteht jeder:
Nicht aufwachen jetzt
Aus Angst vor der Armseligkeit
dessen
was übrig blieb

Ob überhaupt unsere Straße noch
da ist
die Bäume und Bauwerke und was
von unserem Tun?
Vielleicht erstreckt sich schon
bis zum Horizont Leere
bestreut mit verlorenen Kartoffelschalen
grünen Scherben Asche und Schlacke
Zeitungsfetzen Monatsbinden und
anderen entfärbten Emblemen
trostloser Feiern: vollkommene Ödnis

dein Abbild
wie du weißt aber nur
solange das Aufwachen
aussteht.

Weil ich gesagt habe:

Hier stinkt's
wurden über meinem Kopf
einige Nachttöpfe entleert:
als Gegenbeweis.

Unterwegs nach Utopia IV

Am altertümlichen Brunnen
um das Wasser heraufzuholen
stapft lebenslang im Kreis
der Ochse
angetrieben von einem Greise
der andres nicht gelernt hat:
beide bilden nur zusammen
das Bewässerungssystem
wie dir bekannt

mein Freund

der selber auf dem besten Weg
sich weiß und immer wieder hin
zum Ziel
durch seine eigne tiefe Spur
im Staube unbelehrt.

Aufgabe

Die Hoffnung aufgeben
wie einen Brief ohne Adresse
Nicht zustellbar und
an niemand gerichtet

Wie eine Last
Wie jener Marmorblock
der mir immer aufs neue entglitt
bis ich einsah es sei
kein Sinn in der Mühe
ihn wieder und wieder
auf mein besseres Wissen zu wälzen

Eine unheilbare Hoffnung
durch Schmerz zum Schluß
unerträglich
ein eingewachsener Fremdkörper
verkrustet und knochenhart
Unding
das mir nicht gehört und dem ich
nicht gehören will

Die schwerste Aufgabe ist:
aufgeben können
Wer mit der Hoffnung anfängt
hat seine Lektion schon
gelernt.

Zum Fest

Nun sind
die großen Taten von einst
Legende geworden und die Legende
zum erbaulichen Albtraum
kolportiert
von amtlichen Rhapsoden

Wehe den namenlosen Opfern
unter der falschen Fahne:
ihrer wird nicht gedacht
sondern nur
der ausgesuchten Heroen: Ach
auch ihre Zahl schrumpft
mit dem fortgesetzten Verbessern
der Geschichte zur Stärkung
neuer Verbesserer
durch zustimmende Unstimmigkeit
oder wenigstens
durch Schweigen

Immer sterben die Helden
zu schnell weil
das Papier anderweitig gebraucht wird
und ihrem Ruf:
Sie kommen nicht durch! antwortet
das Echo: Wir
sind längst da und bereiten
unserem Helden
ein immerwährendes Vergessen
durch Ehrung.

Mitbürger

Jedermann kennt hier
jenen Mann und sein Bekunden
ihm seien Hände und Füße
wie festgenagelt
der darum nicht weggehen kann
niemand umarmen oder erheben
nicht lieben nicht kämpfen
nichts festhalten
und der trotzdem noch lebt
nebenan oder gegenüber
oder hinter deinem Fenster:

Allein von solch erhöhtem Platz
gewahrt man das Verströmen
der Hoffnung und der Tage: Oh
nehmt mich mit
nehmt mich doch mit
irgendwohin

Mag mancher selbst voll Mitleid sein
keiner kehrt wieder
weltflüchtig
und jener Mann bleibt da und hier
und stiftet auch weiter
Unglauben an.

Auf Böcklins bekanntes Bild

Langsames Verbluten landeinwärts
zerfleischt von scharfen Stimmen jener
die das Beste wollen
für mich und dich und uns und sich
jedoch
in umgekehrter Reihenfolge

Ihre Münder indem sie reden
verzehren Luft und wir
und ich und du ersticken und wissen
nichts
erneuert sich außer dem Schatten
des Vergangnen täglich:
Sieh er wird finsterer
von Mal zu Mal

Du denkst wie ich
wieder an Böcklins Bild dabei
da es im Reich von jedermann gehangen
wies Himmel vor und Wasser und
das düstere Eiland und das Boot
das nur in eine Richtung fährt:

Von der Insel der Knechtseligen
gibts kein Entfliehen
Wer anlangt bleibt
verblutet und erstickt
in der Geborgenheit gefälschten
Rahmens.

Beim Lumpensammler II

Unterm spinnwebdunklen Dach
Berge von leeren Kartons
von gebündelten Lügen von Lumpen
Altstoff Papier
und die kubische Presse
aus eisenbeschlagenen Bohlen:
Das altertümliche Räderwerk
senkt knarrend den eisernen Stempel
auf die gesammelten Werke
des großen Führers
in eine glückliche Zukunft: Doch immer
statt ihrer erscheint
des Nachfolgers neues Werk
und danach wieder Neues vom Nächsten
hier in der blinden Düsternis
hier zum endlichen Nutzen
als geheimes Gesetz und spricht
allen heutigen Werken das Urteil

Aber für einen Augenblick
standen wir und sahen nur
die steigenden und sinkenden Zähne
gedankenlos und darum
hoffnungsvoll.

Augenblick

Für Augenblicke
steht das Leiden still
an dem die Zeit gemessen wird
als sei ins Räderwerk
das uns behaust
ein Splitter von Barmherzigkeit geraten:
Das ist der Irrtum unsres Lebens
den wir mit jenem
bezahlen

Stillstand für einen Augenblick
bildet bloß
vor dem erneuten Ineinandergriff
der Zähne eine Leere
für die wir immer ausersehen
sind und bleiben

Für einen Augenblick
der Traum: Es sei
der letzte des alltäglichen
Gestorbenwerdens
der erste meiner Auferstehung
und deiner selbstverständlich
auch.

Bekenntnis

Im Zwischenreiche meiner eignen Knochen
als hervorragender Bestandteil
einer wechselhaft verleugneten Historie
geht es mir gut.

Bei aller Liebe zur Sache
ist die Gegenliebe gering

Das rührt daher
daß ich ein Fossil bin
Kundgabe fortgegangenen Lebens
ein Erinnerungsstück
vom Rauch verbrannter Welten dunkel
etwas wie Stein doch
unpassend zwischen allen echten

ein Ärgernis dem Fleiß
der seine Mauern mit uns
bauen will.

Predigt

Noch nicht Asche
bist du schon zerstreut
und für dich unauffindbar

Verschüttet die Kontinente
von apokalyptischen Gegenständen
aus dem Gebein treuer Bürger
die zu leben glauben: Heilige
unserer Tage

Unaufgeräumte Spätzeit
kurz vor dem Dunkelwerden erfüllt
von Blech aus Fabriken
Rädern und Gedränge
von Worten die jeden überfahren
geregelt
ist alles längst
wenig noch zu ordnen
ein paar Einzelne einzuschwören
auf den Tod mit dem
klangvollen Namen

Nacht heißt die letzte Zuflucht
Finsternis und freiwillige Abwesenheit
Starr auf dem Rücken liegen bleiben
Die Flügel gefaltet
im Gebet um Vergessensein

Irgendetwas

Irgendetwas hört auf
Irgendetwas ist da was nicht mehr
hier ist Etwas zerbröckelt in der Art
alter Seife und verlassener Kirchen
Etwas krepiert kontinuierlich Etwas
flackert und kann nicht erlöschen
Etwas hinterläßt eine schwindende Spur
auf dem Bildschirm Etwas verläuft
planlos und trieft
vom Gestänge und läuft die Mauern herab
Etwas knistert hinter der Tapete

Etwas blutet aus Etwas bricht zusammen:
etwas unterdrückt und etwas ausgebeutet
Gleichzeitig wälzt sich etwas
schläfrig herum Und etwas sieht krank aus
Etwas schlafft ab Etwas wirkt
wie eine windlose Fahne oder ist
eine abgezogene Haut Etwas stöhnt auf
Etwas spuckt sich selbst ins Gesicht
Etwas richtet den Lauf gegen sich und
drückt ab Etwas holt Luft und stirbt
daran Etwas hat keinen Grund zum Optimismus mehr

Etwas ist abgezogen
auf Flaschen mittels der neuen Alchimie
Oh anbetungswürdige Wissenschaft
Etwas ersetzt uns etwas
Es kommt aus der Fabrik
Es ist nicht wiederzuerkennen
Es wird von allen empfohlen
Es trägt die alten Namen aber es ist
nichts mehr dahinter

Es ist nichts
Es hat einfach aufgehört
unbeobachtet und für immer
irgendwann jetzt oder
von Anfang an.

Inhalt